Mae'r llyfr

DREF WEN

hwn yn perthyn i:

_____

_____

_____

_____

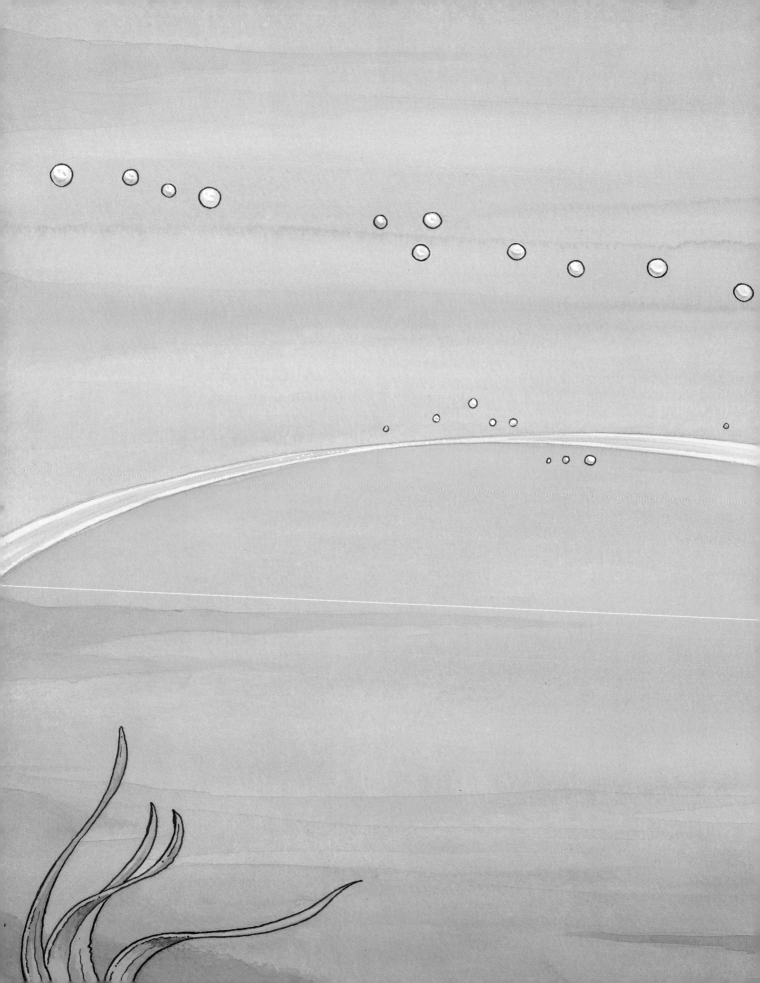

Cyhoeddwyd gyntaf yn Saesneg yn 2004
gan David Fickling Books, 31 Beaumont Street, Rhydychen OX1 2NP,
adran o Random House Children's Books, 61-63 Uxbridge Road, Llundain W5 5SA
dan y teitl *Don't Eat the Babysitter.*

Y cyhoeddiad Cymraeg © 2005 Dref Wen Cyf.

Cyhoeddwyd yn Gymraeg yn 2005
gan Wasg y Dref Wen,
28 Ffordd yr Eglwys, Yr Eglwys Newydd,
Caerdydd CF14 2EA, Ffôn 029 20617860.

Argraffwyd yn Singapore.

Paid â Bwyta Anti Dil!

Nick Ward

Trosiad gan Hedd a Non ap Emlyn

DREF WEN

I Eileen a Tony, ac i bawb sy'n
gwarchod plant bach

Roedd Siencyn a Sioned Siarc wedi
cynhyrfu'n lân! Roedd Mam a Dad wedi
mynd allan am y noson ac roedd Anti
Dil wedi dod i'w gwarchod.

Ond pan fyddai Siencyn yn cynhyrfu
gormod, roedd e'n dueddol o gnoi pethau
(yn union fel pob siarc bach arall!).

"Mae swper yn barod," gwaeddodd Anti Dil.

"Beth ydy e?" gofynnodd Siencyn, gan ruthro i mewn i'r gegin.

"Dy ffefryn di," atebodd Sioned. "Sglodion plantos!"

"Mmmm, blasus iawn," atebodd Siencyn.

Agorodd ei geg a ...

"O, Siencyn," gwaeddodd Sioned.
"Paid â bwyta'r hambwrdd!"
"Mae'n flin gyda fi," atebodd Siencyn.
"Paid â phoeni," dywedodd Anti Dil.
"Beth am chwarae gêm o gardiau?"

"Gwych," atebodd Siencyn.
"Ymmm, beth rydyn ni i fod i wneud?"
"Rhaid troi'r cardiau drosodd," eglurodd Anti
Dil, "ac os oes dau gerdyn yn edrych yr un
fath, yr un cyntaf i weiddi SNAP! sy'n ennill."

Dechreuon nhw droi'r cardiau drosodd. Anti Dil yn gyntaf, wedyn Sioned, ac yna Siencyn. Roedd ei gynffon yn crynu wrth iddo ddechrau teimlo'n fwy cyffrous.

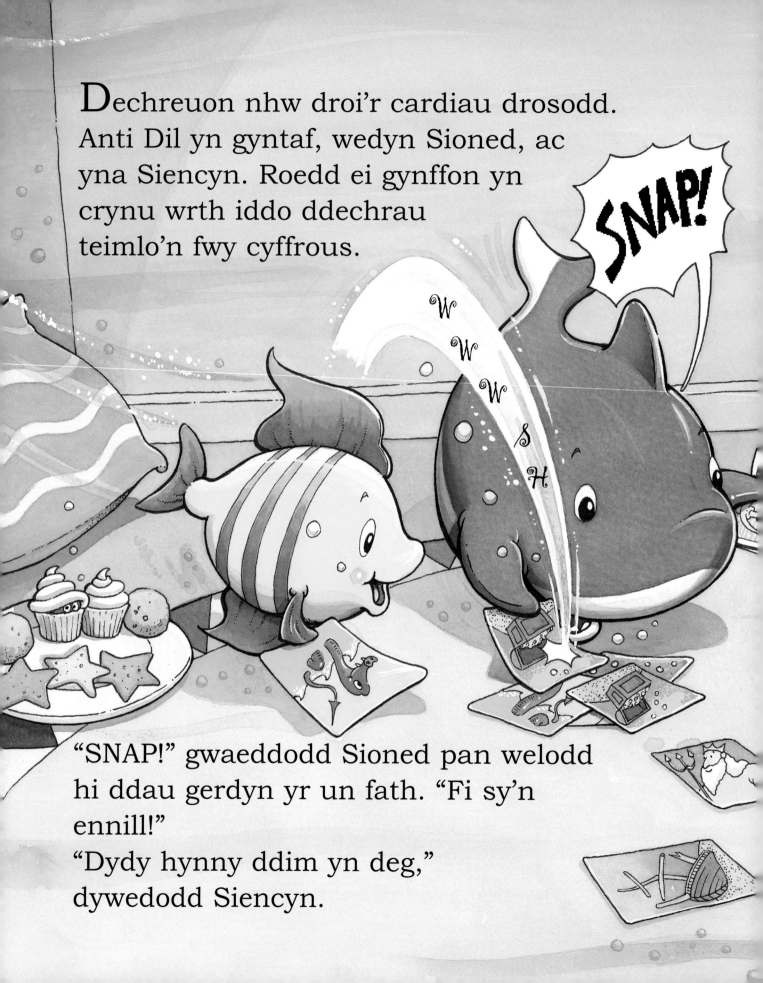

"SNAP!" gwaeddodd Sioned pan welodd hi ddau gerdyn yr un fath. "Fi sy'n ennill!"

"Dydy hynny ddim yn deg," dywedodd Siencyn.

"Paid â phoeni, Siencyn," dywedodd Anti
Dil. "Beth am chwarae unwaith eto?"
Trodd Anti Dil gerdyn arall.
Yna, gwaeddodd Siencyn ...

CRENSH!

"O, Siencyn!" gwaeddodd Sioned. "SNAP yw'r gair, nid CRENSH!"
"Mae'n flin gyda fi," dywedodd Siencyn. "Damwain oedd e."

Siencyn
1 oed

"Paid â phoeni," dywedodd Anti Dil, gan edrych ar y cloc. "Mae'ch hoff raglen chi ar fin dechrau ar y teledu."

Trodd Anti Dil y teledu ymlaen.
"A nawr, Perygl o Dan y Tonnau!" dywedodd
y cyflwynydd.

"Gwych!" gwaeddodd Siencyn, ac eisteddodd
pawb i wylio'r rhaglen. Roedd Siencyn yn
teimlo mor gyffrous, dechreuodd ei gynffon
grynu.

"Yn ddwfn yn nhywyllwch y môr," dywedodd y teledu, "mae octopws brawychus yn byw. Mae e'n anferth ac yn gas ac mae e'n bwyta siarcod bach i frecwast!"

"O, NA!"
gwaeddodd Siencyn.
Agorodd ei geg a ...

CRENSH!

Gofalus!

"O, Siencyn," gwaeddodd Sioned.
"Paid â bwyta'r teledu!"
"Mae'n flin gyda fi!" atebodd
Siencyn. "Damwain oedd e."
"Paid â phoeni," gwenodd
Anti Dil. "Mae'n bryd i
chi'ch dau gael bath."

Roedd Siencyn a Sioned wrth eu bodd yn cael bath. Rhoddodd Sioned ychydig o'r swigod ar ei sbwng melyn.

"Pwy sydd eisiau darn o gacen sbwng melyn?" gofynnodd. "Fi," atebodd Siencyn, yn sebon o'i drwyn i'w gynffon.

Agorodd ei geg a...

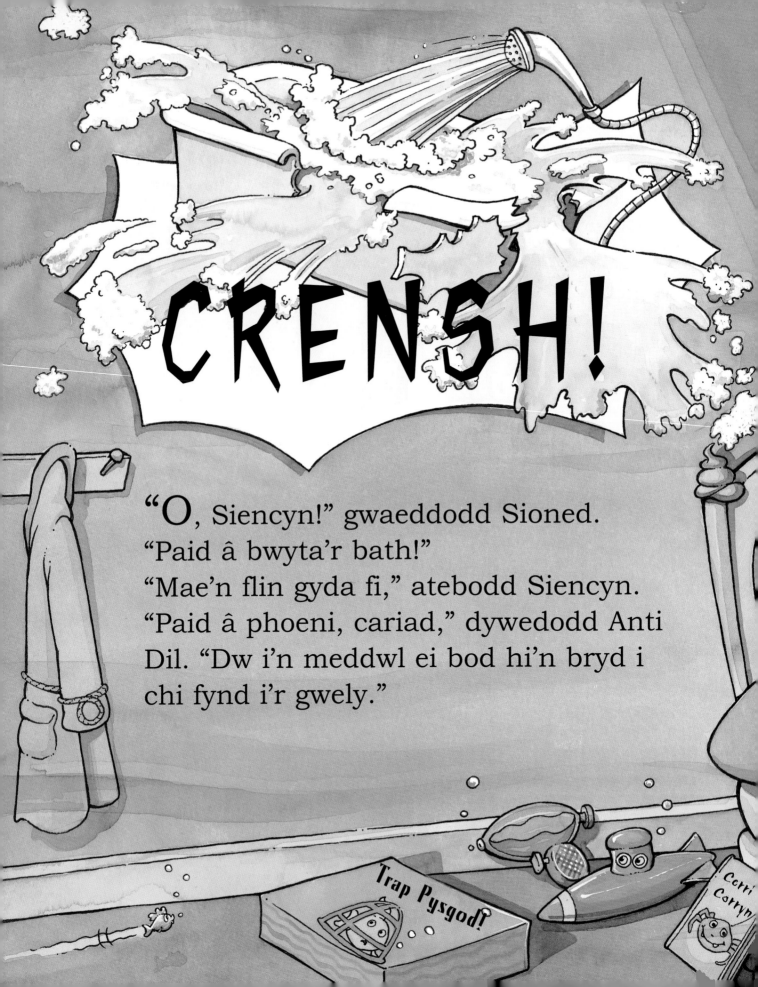

CRENSH!

"O, Siencyn!" gwaeddodd Sioned.
"Paid â bwyta'r bath!"
"Mae'n flin gyda fi," atebodd Siencyn.
"Paid â phoeni, cariad," dywedodd Anti
Dil. "Dw i'n meddwl ei bod hi'n bryd i
chi fynd i'r gwely."

Trap Pysgod!

Corri
Corryn

"Ond dydw i ddim wedi blino," dywedodd Siencyn, gan agor ei geg wrth i Anti Dil roi sws iddo.

"Dydw i ddim wedi blino," mwmiodd wrth iddi droi'r golau i ffwrdd.

"Meddylia am bethau hapus," dywedodd Anti Dil. "Byddi di'n siŵr o gysgu'n fuan."

"Dydw i ddim ..." a syrthiodd Siencyn i gysgu'n drwm!

Morgan y Morfil Mawr

Breuddwydiodd Siencyn am ei hoff bethau. Breuddwydiodd am gacen binc feddal, a ...

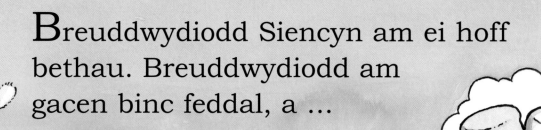

CRENSH!

Cnoiodd ei obennydd.

Breuddwydiodd am fwyta bar mawr o siocled, a ...

CRENSH!

Cnoiodd ei gwpwrdd.

Breuddwydiodd am
fyrger mawr blasus,
a ...

Cnoiodd ei wely.

"Deffra, Siencyn!" gwaeddodd
Sioned. "Rwyt ti'n bwyta
dy stafell wely!"

"Beth yw'r holl sŵn yma?" gwaeddodd Anti Dil, gan ddeifio i mewn i'r stafell. Roedd Siencyn yn breuddwydio am sglodion plantos anferth!

Agorodd ei geg a...

"SIENCYN!" sgrechiodd Sioned.

"PAID Â BWYTA ..."

Yr eiliad honno, cyrhaeddodd Mam a
Dad gartref a dihunodd Siencyn.
"Helô, blant," dywedodd Mam. "Ydych chi
wedi bod yn blant da?"
"Wel!" chwarddodd Sioned. "Mae Siencyn
wedi bwyta'r teledu a'r hambwrdd,
y cardiau a'r bath, y stafell wely ac ..."

"Ble mae Anti Dil?" gofynnodd Mam.
"Ie, ble mae Anti Dil?" gofynnodd Dad.
"O, Siencyn," dywedodd y ddau,
"dwyt ti ddim wedi bwyta..."

"Na, dyma fi!" dywedodd Anti Dil.
"Mae'r ddau wedi bod yn siarcod
bach da ...
Beth wyt ti'n ddweud, Siencyn?"

Ond am unwaith,
cadwodd Siencyn ei
geg

AR GAU!

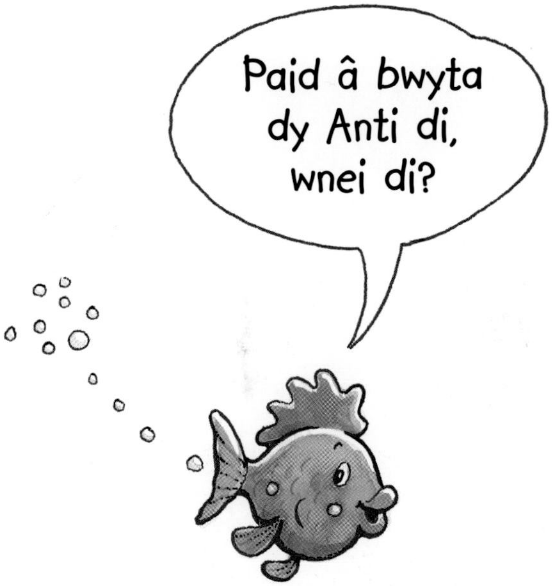
Paid â bwyta dy Anti di, wnei di?

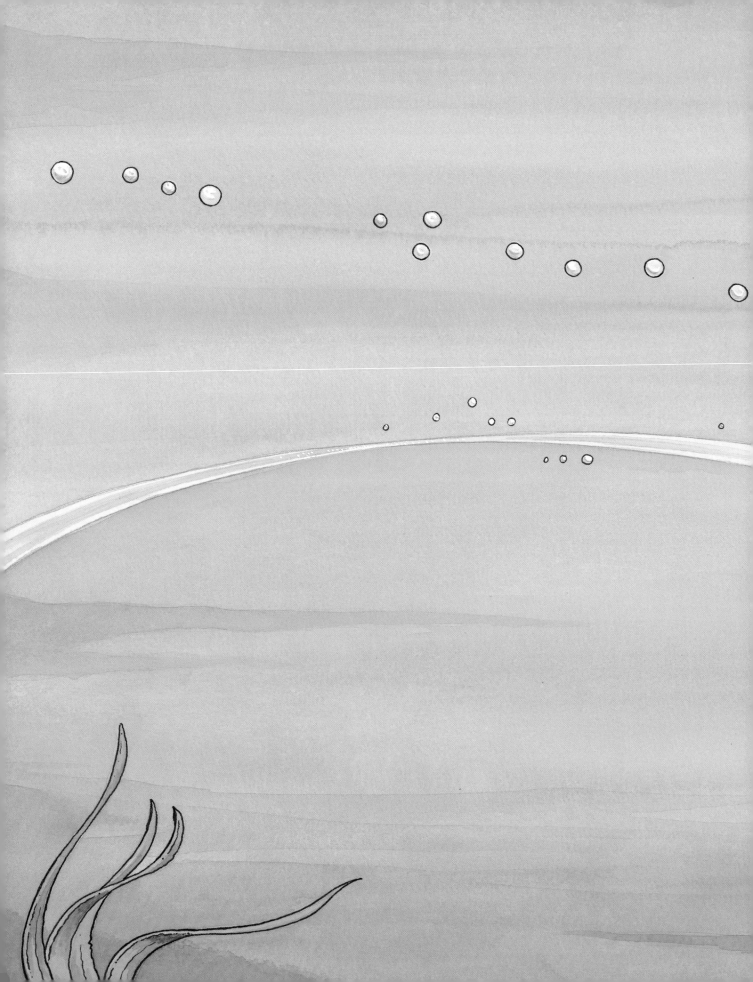

Storïau lliwgar difyr o'r
DREF WEN
mewn cloriau meddal

Chwaden Mewn Wagen *Jez Alborough*
Cwtsh *Jez Alborough*
Fy Ffrind Arth *Jez Alborough*
Y Ffermwr Clyfar Iawn
  Denis Bond/Steve Cox
Beth wnawn ni â Babi Bw-Hw?
  Cressida Cowell a Ingrid Godon
Postman Pat Eisiau Diod *John Cunliffe*
Y Dywysoges *Penny Dale*
Cwac, Cwac! *Philippe Dupasquier*
Mr Blaidd a'r Tri Arth *Jan Fearnley*
Mr Arth yr Arwr *Debi Gliori*
Cadno Bach a'i Ffrindiau yn Rasio
  Colin a Jacqui Hawkins
Yn y Glaw gyda Martha Fach
  Amy Hest/Jill Barton
Arth Hen *Jane Hissey*
Gwna Fel Hwyad! *Judy Hindley/Ivan Bates*
Ianto a Roli *Mick Inkpen*
Drygioni Mog *Judith Kerr*
Ambarél y Wrach Hapus
  Dick King-Smith/Frank Rodgers
Fflos y Ci Defaid *Kim Lewis*
Fflos a Me Bach *Kim Lewis*
Ffred, Ci'r Fferm *Tony Maddox*
Ffred a'r Diwrnod Wyneb-i-Waered
  Tony Maddox
Ffred yn Achub y Dydd *Tony Maddox*
Taw Tomos *Tony Maddox*
Elfed *David McKee*
Newydd Da, Newydd Drwg
  Colin McNaughton

Ga i Chwarae *Jill Murphy*
Heddwch o'r Diwedd *Jill Murphy*
Heddlu Cwm Cadno *Graham Oakley*
Fy Mrawd Mawr Moc *Liz Pichon*
Rwyt ti'n Rhy Fawr
  Simon Puttock/Emily Bolam
Mrs Mochyn a'r Sôs Coch *Mary Rayner*
Mrs Mochyn yn Colli'i Thymer
  Mary Rayner
Perfformiad Anhygoel Gari Mochyn
  Mary Rayner
Wil Drwg *Mary Rayner*
Ch-Chwyrnu *Michael Rosen*
Wil y Smyglwr *John Ryan*
Ed a Mr Eliffant: Cei di Weld! *Lisa Stubbs*
Mostyn a Monstyr y Mwyar *Lisa Stubbs*
Y Tri Blaidd Bach a'r Mochyn Mawr Drwg
  Eugene Trivizas/Helen Oxenbury
Pwtyn *Clara Vulliamy*
Ti a Fi, Arth Bach
  Martin Waddell/Barbara Firtn
Methu cysgu wyt ti, Arth Bach?
  Martin Waddell/Barbara Firth
Ifan Cyw Melyn
  Martin Waddell/David Parkin
Wil y Ffermwr a'r Storm Eira *Nick Ward*
Wil y Ffermwr a'r Mochyn Bach
  Nick Ward

Cyfres Fferm Tŷ-gwyn *gan Jill Dow*
Chwilio am Jaco
Gwlân Jemeima

Dref Wen Cyf., 28 Ffordd Yr Eglwys, Yr Eglwys Newydd, Caerdydd CF14 2EA Ffôn 029 20617860